Le goût des baisers

S. Janssens

Le goût des baisers
Recueil

LE LYS BLEU
ÉDITIONS

Un tout grand merci à Maité pour son talent

Premier baiser

Tout a commencé par un songe messager
Dont la sage annonce fut partagée.
L'image d'un homme d'apparence solaire
A entraîné un échange épistolaire
Qui n'a pas traîné.
Comme une traînée de poudre aux yeux
Cet être lumineux comme la foudre
A montré un chemin.
À ce moment de sa vie, cet homme sans lendemain y
Vit une raison de croire
Que le meilleur de lui existe,
Que l'espoir subsiste.
Que si quelqu'un en avait rêvé
Cela ne pouvait que prouver
Que sous sa tristesse, la promesse
De jours meilleurs étaient à venir
Que son avenir n'était nulle part ailleurs que devant lui.
Et ce sont les mots d'une poétesse
Rempli d'émotion et de politesse

Qui suffirent à faire passer le message
Que souffrir n'est qu'un passage
Vers une paix intérieure
Qui soigne les plaies antérieures
Et installe sur un piédestal
La confiance que l'on a en soi
Et l'espérance que l'on y perçoit.
Sans doute cette femme éveillée
Est venue réveiller la flamme.
Comme une mission à accomplir
Qu'avec passion il a pris plaisir à lire.
Petit à petit le travail a fait effet,
Vaille que vaille sans relâche,
Investie par la tâche
Elle a laissé entrevoir
Qu'au-delà du miroir
Qui reflète tous les défauts
Les espoirs étaient triomphaux.
De la même manière
Qu'elle insufflait l'énergie nécessaire
Pour que l'homme se redresse,
Son corps pris de faiblesse
Fût atteint avec peine
Comme la flamme qui s'éteint par manque
d'oxygène.
La voilà affaiblie d'avoir trop partagé
À chaque fois elle oublie de se protéger.
Un repos imposé est convenu

Et après s'être reposée le temps est venu
Pour que ces deux âmes par la poésie rapprochées
Viennent à s'approcher avec fantaisie.
Il y eut rapidement de l'attirance,
Pas seulement par l'apparence.
Ils avaient le même humour,
Les mêmes poèmes d'amour,
La même folie et une fois au lit
La même envie de vivre
Quand la vie vibre entre les coups de reins
Et que tout à coup plus rien
Ne compte à part l'instant présent.
Ce moment était un présent
Que le ciel avait prévu
Et ils avaient été prévenus
Quand dans ce rêve
Main dans la main
Ils avaient emprunté le chemin
Qui séparait leurs lèvres.
Après cet échange mutuel
Son esprit s'est apaisé
Et une rencontre spirituelle
Est née du goût de ce baiser.

Baiser de certitude

Il y aura dans les souvenirs de tes jours heureux,
Tellement de bonheur que tu auras pour eux,
Une certaine douceur que tu laisseras revenir.
La vie est faite de haut et de bas et quand tu te débats
Pour garder la tête haute,
Perdre la confiance est ton unique faute
Mais quand tu en as conscience,
Tu prends ton mal en patience.
Car de savoir avec conviction qu'en fonction
De tes réactions une mauvaise situation
N'est qu'un instant qui passe,
Qu'il y a derrière une leçon qui parfois te dépasse.
Qu'il n'y a pas d'impasse mais des fausses directions
Et toujours le moyen de revenir en arrière
Peu importe la hauteur des barrières.
Tu réalises avec joie
Que ce que tu idéalises tu l'as déjà.
L'esprit est créateur de sa propre réalité,
Il est le réacteur qui te fait décoller,

Son combustible est ta volonté
Tu as la possibilité de t'envoler.
C'est souvent par peur qu'il ne se passe rien
Car tu sais bien, tu le sais par cœur,
Il est plus confortable de se cacher sous la table
Et de s'attacher à cette cachette.
Mais si tu te concentres, tu entends la clochette
Qui dans ton centre tinte à tue-tête et te répète
Que ta vie est entre tes mains
Et qu'il y a un chemin qui t'appartient,
Qui est ouvert devant toi,
Ce chemin est le tien et tu le sais au fond de toi.
Mais comme tous tu doutes
De faire le mauvais pas et de te tromper de route,
Mais crois-moi la mauvaise route n'existe pas.
Fais de ton avenir tes plus beaux souvenirs.

Baiser désert

Sur le sable chaud d'un coin de terre aride
Dans un horizon vide, je pense à ton dos.
La courbe des dunes qui se façonne encore
Ressemble à ton corps sous la lueur de la lune.
La chaleur qui se dégage de ces formes ondulées
Créé des mirages d'une beauté inégalée.
Et c'est ton sourire qui devient l'oasis,
Qui là-bas s'étend.
Et c'est bien mourir entre tes cuisses
Que j'attends.
Alors je dresse une tente dans l'attente
De te voir étincelante et vivante venir me rejoindre.
Assis au milieu de ce désert je regarde le jour poindre
Et dans la lumière j'imagine
Ta silhouette qui se dessine et ma fascine.
La source n'est plus tarie car tu arrives.

Baiser apeuré

Elle n'avait jamais osé prendre une décision
Réellement importante.
La peur avec précision
Devant les choix proposés prônait l'attente
Et aucune de ses envies ne remplissait sa vie.
Pourtant quelque fois
Elle regardait son désir
Le touchant presque du doigt,
Pouvant presque le saisir.
Dans un coin de son cœur, elle éprouvait l'espoir
Que cette inutile peur lui dise au revoir.
Et la laisse vivre pleinement ses erreurs
Sans jugement intérieur
Qu'elle s'infligeait à chaque choix
Et l'obligeait à chaque fois à douter.
Qu'est-ce qu'elle pouvait redouter
Ce stupide mécanisme
Qui volait à ses jours tout le réalisme
Qu'elle voulait depuis toujours

Et qu'elle n'obtenait pas
Car la peur retenait ses pas.
Il n'y a rien de pire que de regarder
Ses envies disparaître
Et de vivre de regret.
Mais elle n'en faisait rien paraître
Et gardait ses sentiments en secret,
Elle ne pouvait pas les laisser apparaître
De peur d'être blessée dans son être.
Car c'est avant tout par souci de protection
Que cette stupide réaction adoucit
La douleur ressentie
Quand vient l'heure pressentie
Où l'erreur est le choix.
L'échec ne dit-on pas
Est la voie de la réussite.
Alors pourquoi dites moi
Le plus souvent on l'évite.

Baiser invincible

Rien ne peut m'arrêter.
Vous pouvez tenter de me freiner
Mais je suis entraîné à continuer.
Vous pouvez atténuer ma motivation
Mais ma détermination nul ne peut l'altérer.
Vous serez atterré.
Sur ma route vous pouvez placer des montagnes
Sans aucun doute j'ai assez de hargne
Pour les surmonter toutes sans difficulté.
Vous n'avez pas idée de ma faculté
À atteindre mes objectifs, je suis très combatif
Et jamais je n'abandonne,
Rien ni personne, vous entendez, rien ni personne,
Si je ne l'ai pas décidé,
Ne peut me convaincre de changer.
Vous serez dérangé car vaincre est mon univers.
Les paris sont ouverts
Et je serais vainqueur
Car c'est dans mon cœur

Que naisse mon espérance
Et aucune douleur,
Aucune souffrance n'est à la hauteur
De sa puissance.
Vous pouvez m'envoyer la pluie
Et aussi les orages,
Je serais mouillé et puis !
Je garderais la rage.
Vous pouvez assécher les fontaines
Et fermer les refuges,
Je vais marcher sans peine
Et affronter les déluges.
Que le vent de face
Vienne à souffler très fort
Il va s'essouffler avant que ne s'efface
Mon effort.
Vous pouvez tout tenter
Et ajouter de la distance
Je vais juste me contenter
De conserver ma constance.
Vous pouvez embrumer mon esprit,
Essayer de me faire peur.
Vous serez ébahis, surpris
Et remplis de stupeur.
Devant ma volonté vous êtes impuissants
Car dans ma réalité je suis surpuissant.
Abandonner donc vous n'y arriverez pas
Car j'affronterai quiconque se dressera devant moi.

Baiser de regret

Attends-moi mon aimé, vers toi je cours
Je ne fais que condamner ce stupide jour
Où par ce petit mot que j'ai mis dans ta main
J'ai créé tous mes maux et séparé nos chemins
Je ne marche plus vers Compostelle
Ce ne sont plus les cloches qui m'appellent
Mais bien le doux souvenir de ta beauté
Que je veux voir revenir à mes côtés
Et je n'écoute pas la douleur de mon corps
Et si jamais vient mon heure et que la mort
Au détour d'un sentier m'enlève et m'emporte
Mon amour en entier comme une grande porte
S'ouvrira à tes yeux et tu penseras en toi
Qu'il aurait été mieux de rester avec moi.
Mais je sais que la vie est ce qui m'attend
Je serais ravie quand viendra le temps
Où nous serons réunis, oh, mon cher amour
Je rêve chaque nuit de ton retour
Je t'imagine avec bravoure faire marche arrière

Et je savoure chacune des bières
Qui me donne le courage et m'aide
Il y a dans ce breuvage un curieux remède
Mais c'est bien de toi que me vient la force
Et c'est ma foi en moi qui se renforce
Quant à chaque pas je risque l'entorse
Car cette voie doucement se corse
Vois-tu mon moral est au plus bas
C'est normal tu me diras
Il y a pour chacun et chacune un moment
Où rancœur et rancune soudainement
Remplissent l'esprit et l'on ne peut éviter
D'être surpris par la négativité.
Malgré tout le plaisir que j'ai à penser
Que bientôt mon désir sera compensé
Par ton baiser qui viendra récompenser
Mon effort et apaiser l'énergie dépensée
Je ressens la triste solitude que j'éprouve,
Car par habitude je me retrouve
Avec chaque soir de nouveaux pèlerins
Qui entendant mon histoire n'y comprennent rien.
Mais peu m'importe leurs avis et leurs conseils
Toi seul es mon envie et mon soleil
Dans maintenant peu de jours à Fisterra
Je serais, mon amour, dans tes bras
Et sur la plage on s'aimera,
Mon pèlerinage ce fut toi.

Baiser conscient

Ça y est, en question je me suis remise
Et j'ai pour de bon lâché prise
J'ai libéré mon sac à dos de ma ténacité
Je peux me féliciter de m'être fait ce cadeau
Combien de kilomètres furent nécessaires
Pour me permettre de me défaire
De cet espoir qu'aveuglement
J'aimais à croire intérieurement.
Mes yeux se sont ouverts et j'ai découvert
Que ce n'est pas vers toi que j'avançais
Mais que c'était en moi que ça se passait
À cheminer chaque jour sur cette belle terre
J'ai réussi à dominer ma force de caractère
Et je ne suis plus l'âne qui avance sans réfléchir
Sans écouter son âme et sans fléchir.
Et peu importe la distance que ça a pris
Je mesure l'importance de l'avoir compris
Ma traversée du désert a pris fin
Je peux dire enfin qu'est finie la misère

Je suis heureuse car je regarde vers l'avant
Je ne suis plus amoureuse d'un coup de vent
Qui m'a fait frémir un court instant
Et m'a fait courir pendant trop de temps.
J'ai retiré le voile qui recouvrait le soleil
Et soudainement mon ciel est rempli d'étoiles
En cet instant le monde est l'image de moi-même
Et à chaque seconde un peu plus je m'aime
Au-devant de mes pas s'ouvre une nouvelle voie
Sur laquelle je découvre que je marche vers moi

Baiser tant espéré

Du coin du regard
Il l'admirait depuis longtemps.
Depuis tout ce temps
Il n'avait pour elle que des égards.
Amoureux éperdu
Il avait réalisé qu'il serait perdu
S'il ne pouvait l'embrasser.
Il n'avait jamais osé et ne voyait pas
Qu'elle attendait qu'il fasse ce premier pas.
Elle avait remarqué son intérêt pour elle
Et c'est pour lui qu'elle se faisait belle.
Mais le temps filait et l'espoir aussi.
Puis vint le jour du départ
Et sur le quai de cette gare
Ne pouvant remettre à demain
Il prit son courage à deux mains
Et d'un mouvement maladroit
Il s'approcha d'elle et la serra dans ses bras.
Et ce baiser inespéré vint clôturer
L'attente infernale d'une façon magistrale.
Elle ne monta pas dans le train et resta sur le quai.

Baiser de style

La persévérance est une épreuve que l'on éprouve
J'en ai la preuve et je vous le prouve
Sans me priver dans le privé j'improvise
C'est le minimum qu'un pro vise
Et j'ai l'esprit vif c'est mon privilège.
J'ai pris vite fait des provisions en prévision
Pour après vu ce qui est prévu.
Je suis prévenu
Et je ne suis pas venu
Comme un parvenu.
Apparemment auparavant
Certains n'en sont pas revenus
D'ailleurs on ne les a pas revus.
Ce n'est pas vrai que le pauvre ment
Vraiment pauvrement
Mais ça fait une rime réussie.
Je vous remercie.

Baiser amer

Je m'étais dit que dans le bus
Je pourrais en écrire un de plus
Un autre texte en rime
Mais le contexte me déprime
Je suis en fait comprimé
Sans possibilité de l'exprimer
Et je suis responsable
De mon inconfortable position
J'avais une bonne situation
Et je me suis rendu coupable
En changeant de siège
De mon inconfort
J'ai vraiment fait fort
J'ai sauté dans le piège
J'aurais dû rester à ma place
Je ne manquais pas d'espace
Il y avait juste cette Espagnole
Qui aimait la conversation
Et toutes ses discussions

Qui tout autour de moi
Alors que je voulais dormir
M'ont fait bouger de là
Pour aller vers pire
Le gars à côté de moi
Fais deux fois mon poids
J'ai mon bras contre son bras
Celui juste devant
N'est pas moins énervant
Il a baissé son dossier
Histoire de me faire apprécier
Combien j'ai été con de bouger.
Comment voulez-vous dormir
Je suis tellement dérangé
Et ce n'est pas près de finir
Il reste treize heures
Dans ce terrible voyage
Qui est une horreur
Allez, courage
Prenons patience
Que peut-on faire de mieux
À la station d'essence
On courra un petit peu
Histoire de faire circuler le sang
Quel imbécile bon sang !

Baiser inespéré

J'ai regardé fondre en larmes
Cet homme si froid de nature.
Il y a donc une âme
Qui vit dans ce cœur si dur.
Toute la méchanceté
Dont il pouvait faire preuve,
Face à cette épreuve
Ne lui était d'aucune utilité.
Je vis dans ses yeux la détresse
Que l'on peut ressentir
Quand par manque de tendresse
Les mots ne peuvent sortir.
Il aurait aimé apprendre, plutôt que de souffrir,
La paix d'un geste tendre et d'un simple sourire.
La vie ne l'avait confronté qu'à la peine
Et c'est avec haine qu'il l'avait affrontée.
Je vis son poing se serrer,
Abattu de ne pouvoir
Ne plus rien espérer,

Ne plus s'émouvoir.
Toute la misère du monde écrasait la carrure
De cet être immonde inondé de blessures.
Le pauvre homme était désemparé
Il était comme désespéré
Il aurait voulu réparer
Tout le mal dans lequel il avait prospéré
Par un simple baiser inespéré
Qu'il aurait offert
Comme un gage d'amour,
Car cet homme de fer
Aimait quelqu'un depuis toujours.
Mais il était trop tard,
Il était arrivé en retard.
La faucheuse toujours à l'heure
Ne fit pas de manière
Et malgré les prières,
La fin ne fut pas heureuse.
Je vis ce triste sire empli de tristesse,
Rempli de détresse
Sortir de son rôle.
Le poids sur ses épaules
L'obligea à s'asseoir
Il venait de perdre ce soir
Le dernier espoir
Qui venait le convaincre
Que la vie est un désespoir
Que l'amour ne peut vaincre.

Baiser tant attendu

En plein cœur de l'été,
Quand les pierres passent de chaudes à brûlantes
Quand les décolletés d'une manière affriolante
Laisse entrevoir avec générosité
Toute la beauté indécente
Et attirante que la femme sait pourvoir.
Au centre de cette saison délicieuse,
Vêtue d'étoffes légères et parfois sulfureuses
Elle voulait plaire. Mais pas à n'importe lequel,
À celui qui porte pour elle le plus beau des visages.
Et qui la dévisage à chacun de ses passages.
Un matin par surprise elle s'était éprise
De ce beau militaire en le voyant travailler la terre
Comme l'on sculpte un paysage, elle rêvait de mariage.
C'était un fils de fermier qui dès qu'il en eut l'âge
Avait rejoint l'armée par amour du voyage.
Il avait belle allure et la prestance d'un cavalier
Qui dirige sa monture comme un chevalier.
Elle avait trouvé un coin dans un petit sous-bois

Pas trop loin d'où il coupait le bois.
Dans la chaleur, le torse nu il maniait la hache
Et sans qu'il ne le sache, elle le portait aux nues.
Elle pouvait tout le jour assise à cette place
Contempler la grâce de son puissant amour.
Il ne venait au village que le jour du marché
Acheter des fromages et parler aux maraîchers.
Elle faisait toujours en sorte d'être sur son chemin
De se tenir à la porte ou de frôler sa main.
Avec ses yeux de timide au coin desquels des rides
Souriaient pour la jeune femme
Il ressentait en lui grandir la flamme.
Mais elle est sûrement trop belle
Se disait-il en son intérieur
Il n'imaginait pas qu'elle
Puisse l'espérer dans son cœur.
Alors, il s'en allait sans faire attention
Qu'elle le désirait de toute son attention.
Arriva la fête des feux de Saint-Jean
C'était un soir d'orage
Et il y avait tous les gens
À cette fête du village.
Sous les arcades tout ce peuple entassé
Après de franches rasades se mirent à danser.
Elle l'avait repéré
Et s'était préparée comme une princesse
Elle aurait fait pâlir toutes les déesses.
Par petits pas ondulés elle s'approchait de son aimé.

Lui ne pouvait décoller son regard tellement charmé.
C'était pour ce soir elle l'avait décidé.
Arrivé à sa hauteur et affrontant sa peur
Elle se mit sur la pointe des pieds
Pour atteindre ses lèvres qui étaient pour elle un rêve.
Le tonnerre, quand leurs bouches se touchèrent
Éclata bruyamment mais ils n'entendirent guère
Rien d'autre que leur propre sentiment.
Le vent fit se soulever la toile tendue
Pour retenir la pluie et dans cette nuit les seules étoiles
Que l'on vit étaient dans les yeux
De ces deux amoureux.
Le lendemain appelé par son capitaine,
Le militaire dut rejoindre la plaine
Où la garnison tenait le camp.
Qui peut vraiment savoir quand
Et sans donner de raison
La vie fout le camp au cœur de la saison.
Elle attendit patiemment que lui soit rendu,
Ce baiser tant attendu.
Au printemps suivant il revint content
Mais surtout vivant
Et ce n'est pas chez son père qu'il alla sonner.
Et ce baiser fut enfin donné.

Pauvre baiser

Chaque jour qui se lève est un nouveau combat
Je suis tombé bien bas mais je m'accroche à mon rêve
J'ai quitté ma famille, ma patrie, mes amis
Dans l'espoir de pouvoir leur offrir une vie décente
Mais je suis affamé, apatride, et parmi
Ceux qui ont cru s'élever mais qui sont en pleine descente.
J'ai déjà eu la chance d'avoir touché terre
Après des heures d'errance en mer
Qui ont laissé un goût amer
À ceux dont la sœur, la mère, le frère ou le père
Ont terminé le voyage au milieu du parcours
Il n'y a pas eu de naufrage mais pas non plus de secours
Seulement peu d'espace et un courant trop fort
Et malgré leurs efforts ils n'ont pas regagné leur place
Je ne les ai pas vus mourir mais j'ai vu leurs corps
Dans le creux des vagues, s'évanouir alors qu'ils
bougeaient encore.
Les larmes se sont mêlées à l'océan
Et le silence a suivi ce drame.
Je n'ai aucune idée de combien d'heures

A duré la traversée
J'avais si peur que nous soyons renversés
Que j'ai attrapé une barre qui était à ma droite
C'est tout ce que j'ai pu agripper sur cette barque étroite
J'ai compris ce que veut dire,
S'accrocher à la vie
J'ai senti mes muscles se raidirent
Quand on s'est approché de la rive
Et quant au bout de l'enfer enfin on arrive
On peut être fier de son instinct de survie.
Mais l'enfer n'est pas vraiment fini
Celui qu'on nomme Lucifer a une faim infinie
On ne s'échappe pas ainsi de sa condition
Sans payer le prix de nouvelles conditions
Chez moi j'étais libre mais je n'avais rien
Ici je ne suis plus rien mais j'ai l'espoir de vivre
Si je suis débrouillard en une seule année
Je peux gagner bien plus qu'avant
Et cet argent comme un coup de vent
Va souffler le brouillard qui entoure
L'avenir de ma progéniture et à mon retour
Nous pourrons enfin entrevoir le futur
Sans que la faim nous ronge les entrailles
Et faire du quotidien une plus douce bataille
C'est cette espérance qui me fait tenir aujourd'hui
Mon ventre crie toujours mais je ne l'entends pas
La grande différence c'est que je suis réduit
À mendier chaque jour pour un maigre repas

Je suis là devant vous avec la main tendue
À espérer une pièce qui vous coûte si peu
Et je vous avoue que je ne m'étais pas attendu
À quel point ça vous blesse d'être généreux
Alors je vois comment vous m'accusez
De ma pauvreté
Afin d'excuser votre manque de générosité
Car si l'on donne à tout le monde,
Que reste-t-il pour soi ?
Mais si l'on donne à tout le monde,
Tout le monde reçoit.
Et moi je ne demande uniquement
Que votre humanité
Que l'on reconnaisse publiquement
Notre fraternité
Car j'ose croire à notre égalité.

Baiser passionné

Quand j'ai vu ta superbe silhouette
Se dessiner sur l'horizon
J'ai su que j'avais raison,
Tu n'étais pas un miroir aux alouettes.
Quand j'ai ressenti toute la douleur
Des derniers jours disparaître
J'ai vu autour de moi apparaître
Toutes les plus belles couleurs.
Quand ton sourire a caressé
Mon âme avec une douceur infinie
J'ai su qu'étaient enfin finis
Ces soupirs que je m'étais adressés.
Quand ta main dans ma main
M'a promis le bonheur
J'ai pu sentir l'odeur
D'un bouquet de jasmin.
Quand tes bras m'ont enlacé
Et m'ont serré contre toi
J'ai lu en moi combien tout mon passé
Avait manqué de ça.

Quand dans la chaleur de l'étreinte
Nos corps ont exulté
J'ai vu sur mon cœur l'empreinte
Que ton cœur avait sculptée.
Quand tu m'as dit je t'aime
Avec ta voix d'ange
J'ai su que notre mélange
Serait source de poèmes

Baiser retenu I

Sur cette terre dont les années se comptent en milliard
Dites-moi ce que valent dix-sept années d'écart
Pour cette pierre qui a vu se crée des déserts
Pour cette forme minérale,
Dix-sept années sont une misère
Quand le temps est relatif et les jours interminables
Quand autant de récifs sont des matières friables
Alors ce qui brûle en mon cœur
Est si pur et si beau.
Et ce même si la somme de nos heures
Depuis notre berceau
Est un nombre inégal qui se rapproche du double
Du temps où tes beaux yeux ont éclos un jour
Où ce regard idéal qui tellement me trouble
À fait naître en ces lieux un sentiment d'amour.
Mais il est bien réel pour nos corps éphémères
Que cet écart est tel une large barrière
Car on ne peut ôter dix-sept ans d'expérience
Dix-sept ans de gaieté de rêve et de souffrance

Les attentes à ton âge
Sont de découvrir
Le monde et son visage,
Avec l'insouciance de l'avenir
Et l'on ne peut voler à quelqu'un que l'on aime
Ce nombre d'années seulement pour soi-même
Mais le temps est un menteur et l'expérience un
leurre
Et malgré ce nombre d'heures peut exister le
bonheur
Un cycle orbital sur une autre planète
Réduirait notre intervalle et ferait place nette
À la naissance de l'histoire qui fera de nous deux
Un couple heureux et rempli de cet espoir
Que l'amour ressenti est un partage
Et cela pour la vie peu importe nos âges.
Quand je pense à toi
J'en oublie ta jeunesse
J'écoute mon cœur qui bat
Tout mon corps est en liesse
C'est la festivité au plus profond de moi
Et je ne veux pas éviter ce ressenti-là
Car ton énergie remplit ma jauge de joie
Et ta seule présence agit comme par magie sur moi
Il suffit d'un sourire ou d'une main sur mon épaule
Pour en moi ressentir la puissance de ton rôle
De ton action par ta présence,
Par la place que tu prends

Dans l'espace-temps, dans cette errance,
Dans ce vide, ce néant.
Je regarde avec peine
Mes cheveux grisonner
Quand tu atteins la vingtaine
Et je ne peux me raisonner
Mais ce serait égoïste
De ne pas penser
Que longtemps tu seras triste
Quand mon temps sera passé
Car le grand écart jamais ne se réduira
Ces années qui nous séparent pour toujours seront là
Mais je suis né trop tôt ou tu es né trop tard
Dans ce monde si beau où nous sommes des milliards
Et je remercie le ciel d'avoir fait se croiser nos routes
Car tu es un soleil qui a brûlé mes doutes
Et même si jamais il n'y aura d'étreinte
La force que tu as fait naître est sans contrainte
Car elle est pure et puissante
Et comme la nature elle est régénérante
Et réjouissante et enivrante et réparatrice
De mon nouveau bien être tu es l'actrice
Nous sommes une rencontre d'âmes
Et tu ne seras peut-être pas ma femme
Mais tu as allumé la flamme
Qui m'éclairera ad vitam æternam.

Baiser retenu II

La chimie de nos êtres
Eveille mes sens
Mes capteurs sont en alertes,
Mon pouls accroît sa cadence
Et à croire ce qui danse dans mes vaisseaux sanguins
L'excitation est dense et les effets sont empreints
De vivacité, d'espérance, de réalité intense
Quand sur moi ta main se pose c'est l'apothéose
Tout devient grandiose, c'est la parfaite symbiose
Je te ressens comme une extension de mon âme
Dans mon cœur c'est le ramdam
Je n'arrive pas à le calmer
Je suis comme rétamé et j'ose proclamer
Ce que devant vous je déclame
Car c'est fait j'entends l'alarme
Qui me dit que j'ai trouvé
Celle pour qui je rends les armes
Et je me laisse éprouver
Tout ce qui fait ce que j'ai fui

Et qu'en moi j'ai enfoui
D'avoir trop souffert pour avoir trop aimé
De soi-disant bien-aimée qui m'ont marqué au fer
Elle, est venue sublimer mon atmosphère.
Mes hormones sont intenables
Je suis à deux doigts d'enfreindre
Cette limite insoutenable
Qu'il me faut craindre.
Car perdre sa présence en l'ayant effrayé
D'avoir brisé le silence est déconseillé
Si aucun faux pas ne vient commettre d'erreur
Et que l'amour ne naît pas au plus profond de son cœur
Je devrais me résoudre et devrais accepter
Que c'est de la poudre qu'aux yeux je me suis jeté.
Mais quand je les ferme je la vois toute illuminée
Et tout mon épiderme est déterminé
Mes poils se hérissent, ma peau s'électrise
Mes défenses se brisent, je me paralyse
Et cet état est tellement déroutant
C'est la dolce vita, un beau jour de printemps
Une alchimie métaphysique, un amour divin
Une envolée lyrique, un poème qui convint
Malgré mon parcours de souffrance
Et de peines vécues.
De concours de circonstances
Je reste convaincu.
Que si j'ai survécu à la mort de mes espoirs
C'est bien en ayant vaincu mes désespoirs

Que j'ai su remonter en selle
Et aujourd'hui, croire encore obstinément
Que parmi toutes tu es celle que je désire intimement
Alors la chimie de nos personnes
Jusqu'au noyau de mes cellules résonne
Et avec toi je suis vraiment moi
Il me fallait toi pour devenir moi

Baiser retenu III

Notre rencontre est pour moi tardive
Mais pour toi elle est précipitée.
Aujourd'hui notre écart nous prive
De concevoir cette union comme réalité
Car dans vingt ans la différence d'âge
Semblera un moins profond fossé
Ce qui fera à notre décalage
Une atténuation certes faussée
Mais bien plus acceptable
Qu'en ce moment où nos deux mondes
Même si ton énergie m'inonde
Ne sont pas encore combinables.
Et c'est fort regrettable mais voyez ce qui se produit
Ce qu'ici sur cette table j'écris aujourd'hui
Un poème-fleuve dont je ne vois pas la fin
C'est bien là une preuve de combien
Tu me fais du bien
L'immensité de cette sensation et de ce sentiment
Atteste de l'intensité de la situation simplement

Tout se transforme et devient possible
Aucune réforme n'est inaccessible
Comme une lumière intérieure qui adoucit
Par sa douce lueur, ma faiblesse mais aussi
Mes chagrins et mes peurs et de confiance m'investit
Alors mon regard s'étend et s'éloigne l'horizon
Du haut de tes vingt ans, tu as provoqué ma guérison
Sans le savoir, une à une, tu refermes mes plaies
Tu as le pouvoir de me rendre complet.
Celles qui t'ont précédé ne sont pas parties
En me laissant indemne, elles ont pris des parties
De moi-même, elles m'ont laissé sans voix
Abattu sans confiance, abruti et sans foi
J'ai consumé pour elles toutes substances
amoureuses
Je les voulais heureuses et m'oubliais complètement
Généreux de cadeaux et de compliments
Que j'offrais sans compter, comme un imbécile
Incapable de me contenir mais ce n'est pas si facile
Car quand on croit tenir entre ses mains
Toute la beauté que chaque être humain
Rêve de goûter pour chacun de ses lendemains
Et que l'on se rassure
D'avoir trouvé la bonne personne
Mais que l'on finit par pleurer
Comme un con ou une conne
Car tomber amoureux c'est cesser de se défendre
Et exposer de soi la partie la plus tendre

Alors oui c'est douloureux, oui c'est incommodant
De son cœur et ses élans on n'est pas le commandant
Et malgré ce qu'ordonne
Le plus beau commandement
L'amour entre personnes
Ne se donne pas commodément.
Mais comment demander d'être rationnel
Quand on ne peut contrôler son émotionnel
Ne suis-je pas incapable de me contrôler
Quand à peine te frôler me rend coupable
De te désirer, de vouloir t'enlacer
Dans mes bras te serrer et de t'embrasser
Car le moindre contact déclenche l'explosion
De mon armure compacte et provoque l'éclosion
De cette sublime vérité que je glorifie
Et qui me certifie que je t'ai mérité.

Baiser retenu IV

Nos corps vers l'autre s'inclinent comme aimantés
Ce n'est pas faute d'avoir tenté d'y résister
C'est évident quand on l'a remarqué de constater
Que nous sommes deux aimants
Qui veulent se compléter
Devenir ton amant est une immense envie
Ainsi qu'entendre tes gémissements de femme assouvie
Ce serait l'accomplissement d'une vie
Mais j'entends déjà mon cœur me dire
Qu'il risque fort au moment du plaisir
De ne pas réussir à contenir le rythme des battements
De ces deux ventricules qui certainement
Si en toi je bascule, imploseront.
Une sensation pareille est la plus belle raison
D'un coup seul elle balaye tout le négatif
Qui en nous, sommeille sans justificatif.
Voir mes yeux dans les tiens quand tu prends du plaisir
T'entendre dire : « Sébastien c'est toi que je désire »
Et pouvoir à loisir ressentir ta chaleur

Voir ta peau rosir en visitant ta fleur
Sans aucun doute non, avec certitude
Que la multitude de routes et de latitudes
Qui s'offrent à nous, nous mènent sans illusion
Vers ce moment si doux où nos corps font fusion.
En toi habite corporellement
La plénitude de la sérénité
Et quand tu offris ton corps pour l'amant
Qui t'ôta ta précieuse virginité
J'espère que le chanceux fut conscient
Qu'il avait sous les yeux un bout d'éternité.
Et sait-il combien je suis envieux
De ne pas avoir été le premier de ceux
Qui ont fait vivre à ton être sensuel
Un instant ivre d'extase sensorielle
Qui ont avec maladresse, sans nul doute,
Manqué de tendresse, d'amour et d'écoute
Bien trop pressés et parfaitement inconscients
Beaucoup trop impatients, t'ont-ils bien caressé ?
Étais-tu exaltée et eux ont-ils exulté
Sur ce corps sculpté d'infinie volupté ?
Voilà que l'odieuse jalousie frappe à ma porte
Je sais bien ce que sa frénésie apporte
Quand on s'extasie de la sorte
Certes la fantaisie nous transporte
Et la poésie en est beaucoup plus forte
Mais la chute est profonde et douloureuse
Et chaque seconde est malheureuse.

La possessivité est une erreur fatale
Même si vouloir l'exclusivité sentimentale
Est tout à fait normal
Et ce n'est pas une question de morale
Cela ne marchera pas si tu mens
Ou si je ne suis pas complètement honnête
Si l'on ne s'aime que partiellement
On ne pourra pas sérieusement connaître
Cette dévotion puissante et naturelle
Que chaque relation naissante appelle
Qui fait de l'autre un nouveau soi
Où je suis ton roi et tu es ma reine
Où nos peines disparaissent sous nos doigts.
Mais cela est incroyable d'être à ce point
Une matière inflammable entre tes mains
Entendre ta voix est la plus douce mélodie
Qui caresse mes oreilles et m'enivre
Et cette pure merveille me délivre
Et m'ouvre la voie vers le paradis
Les anges et les saints ont bien compris
Combien je suis épris et que contre tes seins
Je voudrais me blottir et respirer l'odeur
De ton ardeur qui dans sa splendeur m'attire
S'il fallait opter pour une dernière volonté
Ce serait sans hésiter vivre à tes côtés
Je paierais le montant de n'importe quel prix
Pour que nous terminions notre temps ensemble
Et je prie le père, le fils et le Saint-Esprit

Pour qu'ils rassemblent ceux qui se ressemblent
Non pas en apparence mais en qualité d'âme
Et que l'espérance revendique et réclame
Deux âmes sœurs qui se sont incarnées
Dans le même pays, la même ville
Mais pas la même année
Presque deux décennies séparent nos naissances
C'est l'équivalent d'une génération
Et ces deux décennies qui séparent nos naissances
C'est aussi l'équivalent d'une autre dimension.

Baiser retenu V

Mais c'est stupéfiant comme la vie est surprenante
Je tombe sous le charme d'une fille de vingt ans
Je n'ai pas été assez méfiant et contre toute attente
Mon cœur fait un vacarme assourdissant
Moi qui avais décidé de construire mon avenir
De changer de métier d'assurer mon futur
De faire de l'amour un vieux souvenir
Un vieux poème dissonant rempli de rature
J'avais décidé de rentrer dans la norme
De me former au moule et d'avancer
De faire attention à me tenir en forme
D'essayer de me garder fin et élancé
Mais voici qu'un beau pavé est jeté dans ma marre
Et je ne peux pas dire que j'en avais rêvé
Ni même que c'est un cauchemar
Mais cela devait pourtant arriver
Pour que l'écriture redémarre.
En moi cela a réveillé
La plume depuis trop longtemps éteinte

Et qui vivait dans la crainte
De ne plus être émerveillée
Mes sentiments s'expriment en amas de rimes
En un flot de vers et de quatrains
Où parfois se perd un alexandrin
C'est chantant, c'est souvent en rythme
Mais le prix est toujours la peine et le chagrin.
En tout cas là j'en remplis des pages
J'en fais un maximum avant la fin
Avant le repli, avant le dérapage
Avant qu'en tant qu'homme je ne comble ma faim
Car il y a pour toute poussée une résistance
Pour chaque moment passé de l'existence
Il y a une force certes invisible
Mais réelle et infatigable
Et pour tout elle amorce le prévisible
Malgré tout ça elle n'est pas insurpassable
Et ce prévisible est l'arrêt de l'élan
Le terme de l'effort, la fin de l'essai
Il faut résister fort, surtout quand on le sait
Ce n'est pas très stimulant, c'est même râlant
De savoir que la bataille est perpétuelle
Mais la vie serait beaucoup moins belle
Si tout était donné sans difficulté
S'il ne fallait faire preuve d'aucune faculté
Si l'eau coulait sans rien éroder des rochers
Un vent de face freine notre avancée
Mais la volonté clairement l'efface.

Je ressens en moi s'atténuer l'émotion
Je commence, je crois, à faire la distinction
Entre l'amour perçu et la force reçue
Cette jeune personne par son énergie
Tellement naturelle et spirituelle
Est venue à bout de l'hémorragie
Qui noyait de façon irrationnelle
L'espoir qu'il y a un dans un endroit
Un amour auquel j'ai droit.
Puis il y eut enfin ce jour où pour la première fois
Je te fis un compliment sur ta beauté
Qui depuis toujours ne me laisse pas froid
Et me rends complètement désarmé
D'un élan incontrôlé, je me suis découvert
Et je t'ai envoyé ces mots irréfléchis
Comme d'un coup d'épée ta réponse a ouvert
Mon cœur et broyé mon esprit
Je me suis perdu dans un trou noir
Attiré indépendamment de ma volonté
Vers un état où le désespoir
Est devenu l'unique réalité
Alors ce qui faisait chanter il y a peu
Petit à petit a laissé place
A cette perpétuelle réalité qui au mieux
Nous rassure mais souvent nous dépasse
Car il n'y a que moi qui intensément brûle
Et c'est avec émoi que tout mon cœur hurle
De s'être consumé d'une ardente effusion

Et d'avoir consommé à s'en faire des lésions
Tous les fantasmes qu'il s'autorise
Qu'avec enthousiasme je poétise
Mais qui ne sont que le fruit d'une désillusion
Qui à tort ou à raison nous font payer le prix
Que les rêves ont fixé comme clause libératoire
Et payer c'est risquer d'y perdre ses espoirs.

Baiser festif

Aujourd'hui c'est jour de fête
Et chacun se prête à la préparation.
Tout ce peuple en action
S'affaire à la découpe et la cuisson.
Un petit groupe s'entraîne à l'unisson
Aux chants de chorale.
Tous ont le moral.
L'ambiance est chaleureuse
Mais la patronne est sérieuse
Et donne à la main d'œuvre
Les directives
Afin qu'un chef-d'œuvre
Naisse de cette ambiance festive.
Les rires viennent du cœur
Et la bonne humeur se fait sentir.
Le piano ne sonne pas juste mais il n'est pas si faux
Il est juste comme il faut.
La pluie s'invite donc on se précipite
De ramener au plus vite

Les planches et les tréteaux
Qui furent préparés plus tôt.
Le maître à chanter accorde les voix,
Le chef de cuisine annonce l'envoi.
La fête est sur le point de commencer.
Les cloches sonnent on les entend se balancer.
Ça y est le repas est servi
Et cela se voit tout ce monde est ravi.
Les verres se remplissent d'un vin local
Et c'est un délice un vrai régal.
C'est l'effervescence et l'on voit
La présence de la joie.
En cet instant dans cette soirée
L'humanité est fêtée
Et peu importe demain,
Cette bande d'humains ne fait qu'un,
Un seul et sur le même thème
Je t'aime, tu m'aimes, on s'aime, nous nous aimons.

Baiser enchanté

Les histoires de magicienne appartiennent au passé.

Ces légendes et contes on en connaît assez.

Mais donnez-moi une seconde, que je puisse vous raconter celle à laquelle j'ai assisté. Nous sommes bien au troisième millénaire de notre ère et non au moyen âge la population s'accroît ainsi que la moyenne d'âge. On ne croit plus au mirage et la science a augmenté les connaissances. Plus grand-chose n'est un mystère. Mais faite une petite pause ceci peut vous plaire. Dans la petite bourgade de Saint-Pierre-de-Cole revenaient de l'école, en faisant une balade, un petit groupe d'amis particulièrement unis. Voyant les ruines d'un château en haut d'un rocher ils se mirent aussitôt à s'en approcher. Au fur et à mesure s'approchant du lieu-dit ils entendirent battre la mesure d'une douce mélodie. Puis soudain une délectable odeur de meringue fraîche aux saveurs de pêche et de crêpes au Nutella s'échappait de l'ouverture d'un mur. Quelqu'un doit être là, c'est sûr. Attirée par leur nez, la petite troupe, qui restait en groupe continuait d'avancer. Arrivés à distance raisonnable du trou dans le mur ils virent dans l'ouverture une belle table sur laquelle une montagne de pâtisserie.

Semblait être préparée pour nos petits amis. Le plus gourmand d'entre eux ne put y résister et s'empressa évidemment d'y goûter. Alors qu'il goûtait à tout comme un affamé le trou fut condamné. Ses camarades restés dehors étaient tous étonnés et s'inquiétant de son sort tentèrent de lui téléphoner. Mais ils n'entendirent rien sonner seulement un silence de mort. Plus de mélodies ni plus aucun bruit. Ils crièrent de toutes leurs voix poussèrent les murs de tous leurs poids mais il n'y eut aucune réponse, que des vieilles pierres et des ronces. « Allons prévenir les parents », dit l'un d'entre eux.

« Oui prévenons les grands ce sera mieux ». Alors ils s'en allèrent en longeant la rivière. Emmuré, le gourmand regrettait amèrement de s'être empiffré goulûment. Il entendit soudainement des pas se rapprocher et tenta de se cacher derrière une pile de crêpes. Une belle dame à la taille de guêpe fit son entrée. « mais qui est donc l'infâme qui a tout dévoré », s'écria-t-elle. Elle était très belle et ne semblait pas méchante. Juste un peu fâchée qu'ait été gâchée la belle table qu'elle avait préparée. Le petit osa se montrer et commença par s'excuser. « je suis désolé, j'ai un peu abusé mais je ne veux pas mourir « dit-il », tu n'as fait que te nourrir, tu es tout pardonné mais par ce baiser que je vais te donner tu ne pourras désormais t'exprimer autrement qu'en chantant jusqu'à ce qu'un autre baiser enchanté vienne te délivrer », répondit-elle. Et elle lui donna sur la joue un tendre bisou et dans l'instant l'enfant fut hors du château. Il fit quelques pas en arrière et puis courant au bord de la rivière pour retourner au village tous furent étonnés de le voir, en nage et en train de chanter. Il tenta de leur expliquer que le château était hanté qu'il avait besoin d'un baiser enchanté pour s'arrêter de chanter. Seuls ses amis continuaient de l'écouter et il avait beau tenter il n'arrivait pas à s'arrêter de chanter.

Le petit n'avait plus de mère elle était disparue après un naufrage en mer on ne l'avait plus revue. Il vivait donc avec son père qui était comme perdu depuis que sa chère moitié avait disparu. Au début il ne comprit pas pourquoi c'était en chantant que son fils s'exprimait tout le temps. Un jour il voulut mettre tout ça au clair et régler l'affaire. Il écouta patiemment le chant de son enfant. Et au château se rendit directement. Arrivé sur place il fit face à la belle dame « mon Dieu quelle belle femme » pensa-t-il. L'amour naquit à nouveau dans son cœur et dans la cour du château il embrassa la magicienne et par un anneau la fit sienne. Grâce à ce baiser enchanté, son fils s'arrêta de chanter. C'est donc avec son père et une nouvelle mère qu'ensemble ils remontèrent la rivière.

Je peux tout à fait vous comprendre, c'est vrai qu'à entendre cela semble faux mais je vous le dis quand on passe près du château il y a toujours cette mélodie et cette odeur de meringue même si cela semble dingue.

Baiser au miel

Mmmhh ça colle au coin des lèvres.
Un délice sans pareil,
Fruit du travail des abeilles
Qui me sort de mon rêve.
Par des milliers de fleurs
Tout le jour butinées
Une douce saveur
Accompagne ma journée

Baiser d'indifférence

Entre nous je voulais te dire
Que tu as beau médire je m'en fous.
Ton avis à mes yeux a autant de valeur
Qu'un peu plus de chaleur dans le cul d'un vieux.
C'est pour te dire à quel point aux vues de la référence
Que j'ai pour toi encore moins que de l'indifférence.
Je préfère être honnête je n'aime pas ta tête
Elle ne me revient pas je ne sais pas pourquoi.
Les autres m'ont demandé de faire un effort
Ils m'ont dit que j'avais tort.
Mais j'en doute tu fais partie de ces merdes
Qui me foutent la gerbe et que je redoute.
Tu es sûrement capable des plus basses vilénies
Tu es une ignominie aucunement respectable.
On pourrait presque croire que j'ai de la haine
Mais rien à voir tu n'en vaux pas la peine.
Voilà tout ce que tu m'inspires
Et que je voulais te dire
Je ne pense pas qu'il y ait pire

Alors tu peux médire
Cela ne m'atteint pas du tout
Je te l'ai déjà, dit je m'en fous

Baiser sans soleil

Ne serait-ce pas un désastre sans pareil
Si cet astre dans le ciel que l'on appelle soleil
Venait à s'éteindre ?
Est-ce d'ailleurs à craindre
Qu'un jour à l'est
Il n'y ait point d'aurore
Et que la nuit reste.
Quel serait notre sort ?
On peut facilement concevoir
Qu'il ferait vite froid,
Qu'on pourrait ne pas voir
Très loin devant soi.
C'est donc bien un luxe
Que cette boule de feu
De ses photons et ses lux
Nous éclaire de son mieux.
Précieux pour la nature
Comme l'hymen
Et dont l'unité de mesure

Se nomme lumen,
L'énergie solaire est indispensable
Il est d'ailleurs impensable
Que sans lumière
Notre espèce puisse exister.
Et dans l'espace de l'univers
Quand on cherche une autre terre
C'est d'abord vers un soleil
Que se concentrent les recherches
Car c'est bien lui le centre des merveilles
Qui nous entourent
Alors espérons que jamais n'arrive le jour
Où celui-ci soudain se transforme
En quelque chose d'énorme
Qui nous consumerait en un instant.

Baiser de couple

Tu me traites de gros foireux pour avoir mal foré
Moi j'aurais préféré quelque chose de différent
Je t'ai traité de casse-couilles
Ce n'était pas un bon accueil
Je me retrouve comme une quille et tout seul je caille
Ça avait bien démarré, je me sentais amoureux
Mais là y a un goût amer et je me sens emmuré
Le brouillard s'épaissit je crois que ton passé
Prend trop de place ici tu dois le dépasser
Je vois bien que tes peurs provoquent le départ
De ces mauvais rapports qui j'espère sont trompeurs
Tu ne me trouves pas stylé, je suis mal habillé
Alors je prends mon stylo,
Je m'installe et check le sablier
C'est vrai que je t'ai dit « je t'aime »
Mais maintenant je l'entame
J'aimais jusqu'à l'atome, nos mélanges intimes
J'ai peur que se confirme
Le sentiment qui se transforme

Que ce soit la dernière forme,
Que la sentence soit ferme
Tu m'as dit « gros foireux »
Je t'ai dit « casse-couille »
Mais on est des amoureux
Et c'est pour ça qu'on s'embrouille.
Moi j'étais bien dans tes draps et je me sens amoindri
De m'être fait recadrer, d'avoir perdu tes bras
Sa mère ! C'est dur le couple
Et je ne sais pas si je suis cap
La vie ce n'est pas un clip mais ça s'arrête au clap
Un couple sans dispute c'est un couple qui s'empâte
C'est quand les braises crépitent
Que les flammes repartent.
Car c'est dans l'instant présent que j'aime ta présence
Je ne dois pas la mépriser sinon c'est la prison
Si on s'arrête à ça moi je n'en ai pas eu assez
Je ne vais pas rester assis et tu peux demander à ceux
Qui ne l'ont pas surmonté et même si c'est sûrement tôt
Je te jure sur ma tête que nous deux on se mérite
C'est normal qu'on s'érode car la vie est rude
Si elle était aride on la laisserait en rade
Je te prends avec tes doutes et ce même s'ils datent
Je vais payer ta dette, t'auras ma paix en dot
Moi je fais des slams et je ne porte pas des slims
Et c'est en haut des cimes que je replace l'homme
J'espère que tu m'entends, je suis le démenti
Qui vient pour démonter l'image de miteux

Que l'on t'a imprimé, moi je viens la supprimer
Moi je viens la sublimer car je sais qu'ensemble on est
Ce que tu sembles aimer
Je sens que t'es jalouse mais tu peux être à l'aise
Avec toi je réalise toutes les choses qui me plaisent
J'ai trouvé le bonheur, j'en brandis la bannière
Enfin à la bonne heure je respire du bon air
Alors prends ma main et deviens ma mie
Un jour, je te ferai maman puis tu seras ma mie.
L'avenir a nos noms et malgré ton grand nez
Je mettrai un anneau autour de ton doigt nu
Je suis peut-être un foireux
Et toi peut-être une casse-couille
Mais si on se débrouille on peut être heureux.

Baiser féminin

L'amour maternel est l'exemple
De ce qu'est la femme dans toute sa beauté
Quand son enfant a froid et tremble,
Elle ne le laisse pas grelotter
Le sens du sacrifice est tout naturel
Quand son petit a des besoins
Et de par cet amour maternel
Ce sacrifice ne coûte rien
Car la nature d'une maman est pure naturellement
Comme les facettes d'un diamant
Elle reflète le plus souvent
La compassion, la douceur, la patience
Être une femme est une science
Que l'on ne peut expliquer
Et même la science
La trouve compliquée
Donc comme ce que l'on ne peut comprendre
Nous effraie et nous dérange
Dans ce monde étrange
Il y a beaucoup à apprendre

De celles qui favorisent la Paix
À la violence, l'amour à l'abandon
Et qui témoignent de respect
Et sont remplies de dons,
De bienveillance et de miséricorde
Alors ces droits que l'on accorde
Au compte-gouttes difficilement
Et je le pense intimement
Est un manque de lucidité
Car quand on désire la pérennité
L'évolution des mentalités
Est une obligation
Et malgré toutes les négations
Elles sont l'avenir de l'humanité.
Il est facile de constater
Que la femme dans son entièreté
Est une version de l'homme en mieux.
Plus résistante à la douleur
Et dévouée à la vie
La femme est une histoire de cœur
Qui me fait tellement envie
Et qu'elle soit blonde, rousse ou brune
Qu'elle soit soleil ou lune,
Comme le savait par cœur
Un très grand instruit
Elles ont l'éclat de la fleur
Et la saveur du fruit
Des formes généreuses,

Des regards passionnés
Croyez-moi qu'une femme heureuse
Est un monde apaisé
Alors en ce jour où l'on ose aborder
Un sujet tristement banal,
Les droits petit à petit accordés
A celles qui sont nos égales.
Dans ce monde qui va mal et qui manque d'amour
Il serait stupide et fatal de continuer de réduire
Celles qui certainement un jour
Nous empêcheront de nous détruire.
Donc pour cette soirée slam j'ai composé ce poème
Pour vous dire mesdames combien je vous aime.

Baiser à plume

Au pays des oiseaux les vautours restent entre eux. Les pigeons plus nombreux s'amassent en troupeaux. Partout la hiérarchie est respectée. Une loi qui existe depuis la création de la vie ne peut être remise en question. Quelle liberté a un faible quand un fort veut le manger ? Pour qu'un peuple obéisse il faut qu'il aime ou qu'il ait peur de la voix qui commande. L'équilibre en lui-même ne demande pas d'énergie. L'égalité ne demande pas le même effort à chacun. La moyenne c'est l'uniformisation des différences. Acceptons nos différences. N'ignorons pas nos relations, par action ou par omission.

Au pays des oiseaux les aigles sont seuls et survolent la masse. Tellement puissants et si haut perché tout leur appartient à perte de vue. Mais dans un coin du ciel il y a le colibri, celui dont on se moque quand on le voit foncer vers la forêt en feu avec une goutte d'eau dans son petit bec et qui revient le bout des plumes cramé mais le cœur calmé. Dans un monde où l'effort compte mais où les forts gagnent.

Si l'on souhaitait que tout soit égal, faire une sorte de monde idéal. Peut-être serait-il préférable, si toutefois cela est réalisable, d'utiliser les forces des uns pour pallier les faiblesses des autres. Le partage des connaissances et la richesse des gens instruits. Nul ne sait combien de temps la chance lui sourira, rappelons-nous combien l'aide est précieuse quand on la reçoit. N'oublions pas ce qui nous rend heureux.

Au pays des oiseaux les colombes sont rouges du prix du sacrifice que demande le silence paisible et fragile, tellement fragile qu'elle ne trouvent pas la paix.

Puis au pays des oiseaux il y a les perroquets et autres perruches qui dans leurs parures de plumes et leurs apparats font de l'apparence une appartenance à une importance à part.

Accordons-nous donc sur l'importance, non pas la mienne, ni la tienne, ni la sienne mais la nôtre. On a besoin de rien quand on a tout mais l'inverse est faux on n'a pas besoin de tout quand on n'a rien. Soyons des lumières exemplaires pleines de paix. Chacun sa pierre à l'édifice, le partage est notre avenir.

Baiser d'illusion

Si je devais maintenant poser sur cette feuille
Successivement ma vie comme un recueil
Par un enchaînement de lettres
Ce ne serait pas mon mal-être
Qui s'écrirait, c'est mon cœur
Qui s'écrierait par pulsion.
Ma vie a pris un sens
Depuis que mes sens sont en émulsion.
Au plus profond de mes cellules
S'est inscrit comme un cri
À nul autre pareil comme un nouveau soleil.
Une lumière qui a recouvert tous les calvaires endurés
Et d'une durée indéfinie cette lumière infinie
Éclaire et culmine au-dessus
De tout ce qui est perceptible.
Si je me forçais à réfléchir
A quelle tournure de phrase adopter
Pour être poète et parler de celle
Qui remplit ma tête et mon être.

Elle qui est ma moitié d'orange,
Ma beauté, mon ange.
Aucun assortiment de consonnes et de voyelles
Dans aucune syllabe au singulier ou au pluriel.
Ne vous traduirait le chant élogieux
Que j'entends et que j'ai espéré de tous mes vœux.
L'amour est la raison et j'ai eu besoin
De presque 40 ans pour le ressentir aussi vrai.
Je l'ai toujours su, en tout cas cru.
L'amour est le plus important.
Je t'aime et tu me donnes confiance
Que je peux à nouveau me réjouir.
Rien n'est plus comme avant,
Je suis chimiquement atteint
Et ce n'est pas du baratin.
La musique est belle.

Baiser de foi

Nous sommes tous enfants de dieu
La création d'un père aimant
La volonté d'un cœur radieux
Le résultat d'un sentiment
Nous sommes donc pécheurs
Car la pureté de la perfection
Pour nous tous est ailleurs,
Même si par certaines actions
Il nous est donné de nous en approcher
Il est même possible de la toucher
La sensation en est douce,
La joie et la paix ne font qu'un
Ce ressenti en soi repousse
L'imperfection de chacun
L'amour d'une mère
Est l'énergie la plus puissante de cette terre
Tout être y réagit, c'est un amour sans barrière
C'est un amour le cœur ouvert,
La chaleur d'une vraie prière

C'est la vie qui prospère,
C'est l'humanité tout entière
Et par le don de transmettre
Cette bienveillance par un geste
Plein de compassion par générosité,
La foi est belle et est réalité
Alors le grand créateur
Le sourire au coin des yeux
Ressent la douceur
Qu'il y a au fond de ceux
Qui de ses enfants chéris
Font le don précieux
De donner de leur vie
Pour qu'un autre vive mieux.
Car donner c'est recevoir
Mais seul un don du cœur
Sait émouvoir
De toute sa splendeur
Car faire l'acte nécessaire
Pour ceux dont le besoin
Est de savoir qu'hier
Ne sera pas demain
Tout en donnant sa vie pour son frère
C'est la preuve manifeste
De ce que l'amour peut faire
D'un simple geste
Il y a mille raisons ici
De ne penser qu'à soi

Pourquoi faire pour celui-ci
Ce qu'il ne fera pas pour moi ?
Mais quand entre ses mains
On ressent les battements
De ce que le cœur humain
A comme beau sentiment
Rien qu'un peu de lumière éclaire
Et l'on peut voir
Que comme pour un père ou une mère
Donner c'est toujours recevoir

Baiser de l'être

Je n'écris plus rien, je n'ai plus rien à dire
De cette histoire qui débute quand j'ai décidé d'en finir
Il y a un moment où les mots s'usent
Et le silence commence à parler
Et c'est par là que par ruse
La parole nous est donnée
Mais si l'on sent comme une intruse
Sa perle nous infuser
C'est par elle que se diffuse la pure vérité.
J'ai juste deux mots, deux mots ce n'est pas assez
Pour deux mondes qui se rencontrent
Et se rendent compte que leur écart est un fossé.
Il y a un moment où les émotions
Ne sont pas ce que les mots sont.
Et je sais les mensonges élémentaires
Qui me plongent au désert des sensations
Sans permission ces pernicieuses émotions
s'émancipent et me précipitent au fond du précipice.
Alors elles m'enterrent, recouvert par l'élément terre

Au carrefour des directions, je me perds.

Entre tout ce que les mots sont, elles se libèrent en torpeur, j'en ai trop peur

C'est l'hiver dans mon cœur

Alors j'hiberne à l'abri des rancœurs

Mon cœur en berne n'en est pas sorti vainqueur.

Mais toi comprends-tu cela,

Vois-tu la place que tu as prise ?

Quand à ce point sous ton emprise

Je ne puis penser à rien d'autre qu'à toi

Il y a des moments où les mots percent

La carapace qui s'est formée

Autour de notre confiance

Et tout commence à se transformer

On réalise que la réalité

Nous fait face mais qu'on l'a toujours évitée

Il y a un moment où le mot « cœur »

Se fout complètement des moqueries

Et c'est alors sur les moqueurs

Que s'écrie le mot « cri »

Combien de temps le charme opère

Moi qui n'ai plus de repère

Depuis que j'ai décidé de t'intégrer à mon ADN

Toi qui as pris toute l'importance du mot « joie »

Et tout le sens du mot « peine ».

Il y a un moment où les mots filent

Et coulent aussi rapidement

Que le sang d'un hémophile

Et puis finalement disparaissent en filament
Si fins que fatalement on les perd de vue
Mais que sont-ils devenus ?
Combien de temps me reste-t-il
Avant de retrouver le fond de l'abîme ?
Ce manque de mots m'abîme
Je me sens désuet, pauvre et futile
Il y a un moment où les mots blessent
Peu importe comment ils sont dits
Avec haine, avec noblesse
Et blessent aussi les non-dits.
Malheureusement il y a un moment que les mots doux
Sont devenus démodés il faut maintenant les décoder
Et je me demande où ces mots doux sont condamnés
Afin de partir à leur recherche, et revenir aux origines
Pour que : « mon amour je te désire »,
Reprennent la place à émoji pêche et aubergine
Mais j'ai juste deux mots,
Deux mots ce n'est pas assez
Pour deux mondes qui se rencontrent
Et se rendent compte que leur écart est un fossé
Car il y a des moments où les mots mentent
En nous regardant dans les yeux
« Je n'ai pas d'amant, je n'ai pas d'amante »
Rien ne compte d'autre que nous deux
Les mots sont la lame la plus aiguisée,
Une blessure par balle peut cicatriser
Mais on est brisé par une blessure à l'âme,

Ecrasé sous le poids des larmes,
Hommes et femmes tous sont concernés
Et pour finir les mots me manquent,
Je ne sais pas où ils se planquent
Alors je finis avec ces deux-là
Et je les dirai autant de fois qu'il le faudra
Aime-moi, aime-moi, aime-moi…

Baiser d'espoir

Depuis le jour où tu as allumé ce feu sacré
Dans les parties de mon être que j'oublie d'aimer
Ce feu qui a fait naître une raison d'espérer
J'ai commencé à me rassurer d'être éclairé
Et j'ai cru, j'ai profondément cru
Que la peur et la peine étaient enfin vaincues
Que j'avais trouvé la paix et l'équilibre
Que de toute crainte et amertume j'étais libre
Que quand le cœur aimait et que le corps était aimé
La passion existait et l'esprit était calmé
J'étais rassuré que fût venu le temps
Où l'amour est vrai et est le plus important.
Chaque instant j'éprouve pour toi du désir
Chaque moment côte à côte m'emplit de plaisir
Chaque minute je veux t'étreindre
Mais la flamme a-t-elle brûlé ?
Est-elle venue s'éteindre ?
Cette sensation est-elle maintenant un souvenir ?
Et cette réalité, n'est-elle plus aucun devenir ?

Non, Ce partage, cet espoir
Ne sont pas que des mots
Un souvenir de tendresse, d'odeur de ta peau.
On ne peut que croire quand on est croyant
Qu'un amour éprouvé l'est pour longtemps

Baiser d'adieu

Ce qui serait idéal dans un monde parfait serait que
tu sois de mon éternité.
Avant je regardais le tout qui m'entoure autrement
que depuis que j'ai pu ressentir intensément
La place que tu prends.
Qu'est-ce que j'avais connu cette vie de solitude
profondément ancrée comme une habitude.
Ayant perdu l'espoir qu'un jour je serais deux.
Et tu es arrivée !!
Autant surprenante qu'inattendue, comme un rêve
auquel on ne croit plus. Dans toute ta beauté et tout
ton caractère, tu n'as pu que me plaire.
Combien de temps peut donc durer un bonheur
exacerbé qui comble tellement de désirs
que l'on se demande :
« Que reste-t-il à espérer ? »
Quel pouvoir a une personne qui constate que sa
personne éveille chez l'autre un tel attrait ?

Qui donc prend des risques quand les limites que
l'on se fixe sont continuellement dépassées.

Où se trouve la joie
Quand entre toi et moi
Se creuse un fossé ?

Mais quand le feu s'éteint il ne faut pas s'étonner de
voir ce qui a brûlé.

Il faudra du temps pour que se rétablisse la
perception de la vie sans ta présence.

J'ai eu ma chance et je n'ai pas su la saisir.

Nos différences n'ont pas su nous réunir.

Ce temps passé avec toi fut une intense joie.

Alors merci le ciel, merci pour cette femme-là,

Qui m'a permis de vivre
Ce que même ivre
Je ne concevais pas.

Et comme ivre je le suis redevenu,
Je dis adieu à son si beau corps tout nu.

La vie est ainsi faite, tu crois que c'est la fête, que
c'est pour toujours, que cela va durer.

Prépare-toi plutôt à ce que tu vas endurer !

Comment s'y préparer
Quand d'avoir trop espéré
On baisse ses défenses ?

Ce qui prime c'est la confiance !

Mais quand on l'a perdue,
De quelle manière peut-elle nous être rendue ?

Cette fin est venue trop vite, tu manques à mes yeux.
Ta peau, ton corps, m'habitent.
Je ne sais pas vraiment
Exprimer aussi facilement
Que toi mes questionnements
Et ce que je ressens.
L'évolution de notre relation je la comprends
Et je la regrette également.
Car malgré ce que j'ai pu ressentir,
Nous sommes arrivés à détruire
Ses fondements.
Consciemment ou inconsciemment
Peu importe.
Aujourd'hui ce qui importe
Ce sont les bons souvenirs passés ensemble.
N'oublie pas que l'on se ressemble,
Mais apprenons à nous connaître
Pour voir ce qui pourrait naître
De nos échanges.
Nous sommes peut-être la moitié de l'orange ?
Ou bien ne suis-je qu'un autre de ces hommes
Qui ont cru voir en toi la forme
De ce dont ils rêvaient ?
Aveuglé par la richesse de te serrer dans mes bras,
De sentir ma peau contre toi,
De me sentir si bien en toi.
Je me suis peut-être égaré mais le temps viendra
doucement tout réparer.

Baiser sur la bouche

Nulle n'est douce comme toi
Quand tes bras m'entourent
Quand ton amour me remplit
Mon corps en veut encore
Et tu dis toujours « oui »
Il n'y a pas une seconde
Ou je ne pense pas à toi
Pas une seconde
Que je ne passe pas sans toi
Car nulle n'est douce comme toi
Ta chaleur, ton goût ton odeur
Ta façon de te faire attendre
Toutes ces particularités
Sont mon bonheur
À chaque fois j'en redemande
Car nulle n'est douce comme toi
Ta façon de me faire voir le monde
N'a pas d'égale
Ma façon de te vivre chaque seconde

Est phénoménale, femme fatale
Et je te mets sur un piédestal
Tant tu es royale
Et mon amour pour toi
Ne tarira pas
Car nulle n'est douce comme toi.

Baiser divisé

Ombre et lumière
Division d'une telle netteté
Je sombre et me perds
Dans cette obscure clarté

Bien et mal
Les dieux ne nous ont pas gâtés,
Le choix est fatal
Et nous avons tous fautés

Amour et haine
L'un si beau, l'autre si laid
Mais quand l'amour saigne
La haine referme la plaie

Joie et tristesse
Bonheur et malheur
Mais vivre l'allégresse
Qu'est vivre rien qu'une heure

Baiser onirique

D'un geste délicat
Je te vole à mon rêve
Je sens sur moi tes doigts
Et puis soudain tes lèvres

Je ne peux me contenir
Ta beauté me fait avouer
Tous ces vieux souvenirs
Qui en moi sont noués

L'air sonne en musique
Le vent fait jouer les notes
L'ambiance devient magique
Et l'on oublie toutes nos fautes

On troque notre détresse
Et nos espoirs non comblés
Contre un fleuve de tendresse
Si puissant qu'il fait trembler

Nos âmes enfin réunies
Me font revivre la couleur
Qui par le temps était ternie
Et par l'amour et la douleur

Le calme qu'apportent tes yeux
M'emplit de joie et me réconforte
Alors je me crois Dieu
Qui maîtrise tout jusqu'à ta porte

Mais tu n'existes pas
Tu n'es qu'illusion
Tu ne vis qu'en moi
Dans mon imagination

Baiser nostalgique

Sur le sol écrasé
Dans un coin égaré
Ondulé, délaissé
Le préféré est caché.
Oublié, abandonné
Sorti de l'esprit
Le pauvre ne peut plus donner
Et seul au sol prie
« Dieu tissu tout puissant
Écoute ma prière
Il y a un lit coulissant
Et je suis coincé derrière
Fais venir mon ami
Qui me porte souvent
J'adore vivre sa vie
Je veux vivre comme avant.
Fais qu'il soulève ce matelas
Que je ne peux plus voir
Fais qu'il fasse cela

C'est mon unique espoir. »
Désespéré du temps passé
Les journées de plus en plus s'allongent
Meurtri à bout rabaissé,
Dans la déprime il plonge.
« Salopard d'ex faux maître
Menteur de tissu puissant.
Le premier est un traître !
Le deuxième un impuissant »
Le jour se faufile
Et il rêve d'être décousu
Car la nuit est difficile
Vu que l'on dort au-dessus.
Puis un matin de printemps
Le matelas fut soulevé
Après tout ce temps
Il est enfin retrouvé
Malgré la joie ressentie
Et la peine envolée
L'accueil l'a refroidi
Et dans l'armoire il fut rangé
Il se souviendra longtemps
De ce qui lui est arrivé
Malheureusement pour lui
Il n'est plus le préféré
L'armoire est son répit
C'est une star, un rescapé
La place de préféré est toujours vacante

Mais il n'ose y prétendre
Il sait bien, de la prochaine brocante
À quoi il doit s'attendre
Il sera échangé contre un euro
Pour un nouveau futur
Deviendra-t-il le héros
De nouvelles aventures ?
Ou restera-t-il un bout de tissu patient
Attendant sa nouvelle heure
Un bout de tissu conscient
Du vrai bonheur.

Baiser d'incertitude

On me dit tant de choses
Il y a mille vérités
Tout ce qu'on me propose
J'aimerais tant y goûter
Tous les chemins s'opposent
Mais lequel emprunter.
Et cette vie en rose
A-t-elle vraiment existé ?

Que sais-je du temps passé
Est-il perdu ou mort
Que sais-je des gens lassés
Ont-ils raison ou tort
Que sais-je de ce qui n'est pas qui je suis ?

On me parle de bataille
De raison de se battre
Mais l'homme est-il de taille
À jouer sa vie aux cartes

On me parle d'amour
Avec un grand AIME
Mais même l'amour
Est berceau de haine

Que sais-je des espoirs cassés
Et de ce rêve injuste
Que sais-je d'être enlacé
Et suis-je assez robuste
Que sais-je vraiment de ce qui n'est pas qui je suis ?

On me dit d'être ferme
Quand je veux avancer
Pour qu'à terme
Je puisse être bercé
Par le doux sentiment
Qu'est la réussite
Qui s'obtient par les dents
Et que l'on félicite.

Que sais-je des destins brisés
Par désir de fortune
Que sais-je des rêves écrasés
Sous le poids du bitume
Que sais-je enfin qui n'est pas qui je suis ?

Je sais qu'un mot peut compromettre
Tous les plans établis

Qu'un sentiment peut naître
Dans les cœurs les plus gris
Qu'un geste peut suffire
Pour tout recommencer
Qu'il faut parfois souffrir
Pour pleinement apprécier

Mais qui sait où va le monde
Et pour quelle raison
Et tous ces glaciers qui fondent
Changent-ils nos saisons ?
Faut-il aimer toujours,
Ou de temps en temps ?
Est-ce réellement l'amour,
Le plus important ?

Que sais-je du bonheur
Si tu n'es pas là
Que sais-je de ces peurs
Qu'il y a en soi
Que sais-je ? Dis-le-moi

Table des matières

Imprimé en Allemagne
Achevé d'imprimer en septembre 2020
Dépôt légal : septembre 2020

Pour

Le Lys Bleu Éditions
83, Avenue d'Italie
75013 Paris